MW00533137

Silencio diario

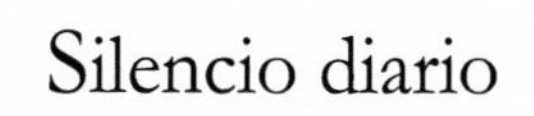

VÍSPERA DEL SUEÑO

Colección de Poesía

Poetry Collection

DREAM EVE

Rafael Toni Badía

SILENCIO DIARIO

Nueva York Poetry Press LLC
128 Madison Avenue, Oficina 2RN
New York, NY 10016, USA
Teléfono: +1(929)354-7778
nuevayork.poetrypress@gmail.com
www.nuevayorkpoetrypress.com

ISBN-13: 978-1-950474-40-0

© Colección Víspera del Sueño vol. 03
(Homenaje a Aída Cartagena Portalatín)

© Dirección:
Marisa Russo

© Edición:
Francisco Trejo

© Diseño de portada:
William Velásquez Vásquez

© Diseño de interiores:
Moctezuma Rodríguez

© Fotografía del autor:
Luis Laro Rodríguez

© Fotografía de portada
Adobe Stock License #143850347

Badía, Rafael Toni
Silencio Diario / Rafael Toni Badía. 1ª ed. New York: Nueva York Poetry Press, 2021, 102 pp. 5.25" x 8".

1. Poesía dominicana. 2. Poesía latinoamericana.

A los poetas Carlos Esteban Cana y Eric Landron,
mil gracias por sus generosos aportes.

Mi gratitud a Luis Antonio Rodríguez,
por su colaboración en todo el proceso
de realización de este poemario.

NOTA DEL AUTOR

Por un instante pensemos en el ruido e inmediatamente después imaginemos su total ausencia. En esa sensación externa fueron concebidos la mayoría de estos poemas. Los escribí entre el principio del año 2020 y la primera mitad del año 2021, cuando la terrible pandemia había pausado a la humanidad; de ahí que algunos poemas estén salpicados de esa nueva realidad.
Nunca fue mi intención conceptualizar este poemario con el silencio y, de hecho, la mayoría de los poemas gritan en diferentes razones.

Aquí les dejo mis poemas, que no son más que vivencias y sueños en complicidad de ese silencio diario que abriga tanto la palabra.

Tal vez hubiera sido preferible el silencio
que sabe tan bien suprimir la emoción,
pero me es imposible callar...

JULIO CORTÁZAR

CUL DE SAC DEL OLVIDO

De la orilla caracola
diametral a la amatista de tus pasos
antílope la prisa
se amarilló el olvido.

La esperanza es lúgubre
el aire espeso
la avidez somera
un lagarto musita a Piaf.

El consuelo sueña con
estrellas de un augurio
acaricia otras ánforas.

Acaso regresará desagrietando
mis dedos en la ventana,
el silencio es púrpura.

CONTRA DESEO

Me alejo del mercurio
de las ventanas que duelen
del agua que tempera los recuerdos.

Siembro rayos impenetrables
donde vivía esa palabra
despliego un muro de contención,
los temblores quedan
dentro de mi entorno.

Rocío el perfume de la anosmia
para no sentir tu horario
ni percibir tus pasos.

Llueve imponderable
la valeriana es gema que escasea
y en mi letargo crece su sombra
la mañana es un cerrojo vencido.

Grita

Si es montaña
o es abismo
que se desplace
la llanura de tus letras.

Si son lágrimas los ríos
en todas las distancias,
que tu voz no detenga su cauce.

Si es el peor de los tiempos
si se consume la esperanza
si por donde quiera que lo mires
no se aprecia ni una gota del cielo.

¡Grita!
que tu cincel azul
hace mil pedazos
las paredes de los cánones

¡Grita!
que la sangre de los siglos
se evapora por tu lengua.

Como él

Quiero ser como él. Es el alma de las fiestas, vestido siempre tan apropiado, que sabe bailar en todos los estilos y conversa sin silencios. El pasado fin de semana pasó por aquí a tomar unos tragos, hablamos de mis libros y se comió un pastel de los que prepara mi esposa que le acuerdan tanto a Esperanza. Reímos a carcajadas y mis hijos llamaron sólo para saludarle. Al llegar la noche, encendimos una fogata, unos cigarros y nos contamos todas las alegrías. Cuando se despidió le expresé mi admiración y él no paraba de llorar como deseando ser otro.

CUARENTENA

Mi pecho quiere hablar
mis dedos se alteran sorprendidos en silencio.

Cuesta arriba
se van acelerando mis piernas
expectante
siento los polos derretidos
en mi cuello
salto a cada ola.

Veo la vida transcurrir
en el centro de las plazas vacías
observo los oportunistas
jugar sus cartas descaradamente.

El cariño filial es hiedra
una palabra de aliento
endulza la tarde.

¿Cómo estás hoy mamá?

Me adentro en los amaneceres
contemplo las miradas detrás de los cristales
evitando el contacto.

Los días son iguales
me refugio en el recuerdo de los abrazos para apaciguar

el infortunio
trato de situarme en el medio de la cordura
asomando la cara para definir el tiempo.

Camino en la transparencia de la oscuridad
de las manos intangibles
de un poema
en los arrebatos de la suerte.

DESPEDIDA

La última vez que te vi
pensé que había quedado
un área verde al otro lado de la cordura.
No pude ver el fuego
que señalaba el camino del tiempo
para respirar juntos
un canal
una playa
un espacio
un café a futuro
un pedazo de suerte.
La última vez que te vi
florecieron las ausencias
la respuesta corta
el sopesar de las nubes
sobre círculos erosionados.

GRISALLA DE MIS PASOS

Desde que eché la suerte
gravitan sobre mis pasos
corredero de ansias en el sigilo
la espantosa inanidad
que busca estacionarme

Desde el adiós
impreca en mi contra
el viento y el camino
en equilibrio se estiran mis venas.

El humo que choca en mi cara
marca la línea del asombro
mi plegaria crece.

Una niña que juega en la arena
un océano que rehúye
y un canto de paloma
grisalla el rojo cielo de la temprana noche.

Cronología de un poema

La soledad preparó todo
una hermosa ceremonia
entre abrazos y títulos
mi cabeza se llena de ruidos
en un cuarto de hotel.

Hay pocas palabras en el cielo
con un mayo sin flores
me saluda el humo de la alfombra.

En la bañera manchada de pasados
corren los recuerdos de mi orgullo
y el frío que deforma la noche me observa por la
ventana.

El deber cumplido
es más que mi cuerpo en la cama.

Otra lata de cerveza en el escritorio
un zarpazo en la lista de vida
un libro, un oscuro libro
la mañana que no llega
el poema es silencio
que escapa entre los nudos.

EVADIÉNDOTE

A veces no quiero ni leer
para no descubrir nuevas formas de extrañarte
me abandonan las ganas
postergo las estrofas de tus algoritmos.

En la espesa sombra
no quiero ser ese desvelo
ni encontrar en las líneas de otras manos
los ángulos encriptados de tu esencia.

A veces no quiero nadar
sobre el piélago de tu discurso
para no encontrarme
sin aire
sumergido en el silencio.

OCASO DE DOMINGO

Sobre el ocaso
entre la lectura y los murmullos
la inclinación del sol aún eclipsa las luciérnagas.
Quiero gritar su nombre
no debo ser desaprensivo
ni un ápice de ansiedad
no debo asomarme
me gana esta ecuanimidad
debo proseguir
con la caída del silencio
todavía no amanecen las respuestas
duelen los huesos de la luna.

El jardín de lo que callo

Serán siempre tan mías esas miradas
las que irrumpen en mis sentidos
o se superponen en otros planos.

Ese irse a las incertidumbres
pasando las paredes
trastabillando la memoria
o el eco de mis sueños.

Las esculpidas capas de argumentos
que disfrazan lo que digo
el atajo por las manos
o un quiebre en mis latidos.

Las capas de esperanzas
la tinta de la risa
los embriones florecidos
o el jardín de lo que callo,
será el color de mis lisonjas
un halago enajenado
la edición de los temores
o el fondo frío de mi acero.

Elegía

Traigo un lago de lágrimas
humedeciendo las ojeras
invisible porque río:
siempre creen que gano.
Cuando siento el dolor ajeno,
nacen olas de sangre.

Muy cerca de la piel
tengo ese lago;
si alguien se detiene a mirarme
detenidamente
puede ver su brillo asomándose
en las orillas de mis ojos.

Cerca de mi pecho, el agua arde
muy cerca de mis pies
a veces es frío su silencio.

Cuando escribo
se puede ver
un vacío de sal
porque tengo un lago de lágrimas
en el declive de mi mano.

UN OJO DE HURACÁN

Retumbando en los pechos quebrantados de los otoños
el aire es perla astral que brilla mucho más que oro.

Lentamente,
marca las huellas
acorrala los muslos.
Nos anima con proyecciones filantrópicas en nuestras
cuevas
-pandemonio que rocía la historia-

Apuntalamos los hombros
para soportar el tiempo encarcelado
cede el abrazo al sórdido silencio
su ojo es beso que desintegra los átomos
ráfagas que tiemblan al toque de burbujas
un poeta escribe en la ventana otra primavera.

TOQUE DE QUEDA

Ella habla por encima de la noche
entre tintos, dramas y amores.
Él, whiskey en mano
disfruta irracionalidad de un saxo
alegrando el silencio
el Jazz es una escoba que barre
la memoria
la inclemencia
los desengaños.

Dagas de miradas
dibujan un espacio exclusivo
afuera llueve,
es el presagio del fuego
en el interregno de una taberna.

Júbilo de proa
un indicio
una guerra
un grito de hallazgo
en toque de queda
de dos cuerpos.

VIRTUDES EGOCÉNTRICAS

Primero…
que los pájaros canten
que se esparza el polen de las flores
el giro de la tierra.

Más primero que lo primero…
que tome en cuenta
su nombre, su sombra y su aura
cómplice contubernio.

Después de lo primero…
la solidaridad que reboza mi empatía.

Que resulte notable, fundamental
el orden inalterado de los sujetos;
lo primero, lo más primero
el paso de lo siguiente
el silencio.

Dresde

De imaginar que tropiecen con ella
en algunos de mis versos
ráfagas de arfiles deshacen mis fronteras
estallan los cristales de mi calle
alborotando la sala
los libros y mi calma.

Tras la lluvia
gotas oscuras hacen ríos de mis letras.
Lágrimas se resbalan por las fisuras,
una colina tomada.

Entre los escombros
recojo las palabras mutiladas
-alcanzo mi unicornio-
los halagos, los poemas
la madera que crepita consumiéndose.

ALBA

Al borde de un lamento
descifro la rabia
domo remolinos.

Coexisto con fantasmas;
muda la trémula risa
el espejismo es un camino.

En el filo de la noche,
una palabra diáfana
viste el murmullo.

En tus ojos los míos,
desde el fondo seco
amargos manantiales
contemplan el alba.

RISA CASCABEL

Fue verdad el olvido.
Después de la desolación
por no encontrarme
quedó la duda.
Fue verdad la risa de cascabel
fue real la sombra
fue verdad la luna que temblaba.
Después de la desolación
volví a ver entre sus ojos
el desentraño de mi nombre
el desarraigo del recuerdo.

Busqué entre los sueños
la humedad de sus besos amanecidos,
resbalándose entre mis dedos
encontré el mutismo de las dunas.

ETERNA

A Lorena

Atenta a la mirada
mide mis gestos,
los signos del preludio
el paso triste y mi silencio.

Me busca
como a una respuesta
como a un color
como al camino.

El humo entre mis ojos
sonríe a la constante oferta de tu cara.
Tiene que ser la eternidad
late mi corazón;
pero no puedo superar el barro
en mi horizonte
y me despierto.

Vanidad la mía
el pensar que son fugaces
tus horas
sujeto tu aleteo
contra las miradas embravecidas de las aves
que reclaman tu altura.

Escudriñas entre mis ojos
con una lámpara;
en medio de la tarde.

Yo el cínico.
tú Atenas.

En estas ondas

Te enamoras de una prosa
que extiende tu alma
como las patas del cangrejo.
 De un soneto te enamoras.

De los planos surreales
de las líneas invasoras
de romper nuevos versos
te enamoras.

Te enamoras de palabras
te estremece el instante
crees ciegamente que el amor se amolda
a sus párrafos.

Sin verte a los ojos
sin las manos afanadas
ni la lengua
ni los parques
sin el vino, ni esta historia
ni el tabaco entre los labios
ni el desorden gravitacional
en estas ondas
te enamoras.

TRAGEDIAS

Ensimismados en su lar, flota su suerte
y eligen las periferias
dejándose mirar por las noticias…
-2 personas se lanzan del puente de Las Américas/
y caen en la avenida del poeta.

Su mundo sigue como si nada
los planetas son sus ojos
y el universo la saliva que se escapa de sus labios…
-Devastadores incendios forestales/
miles de koalas y otros animales se han perdido.

La cotidianidad los mira sin inmutarlos
Enajenados gríngolan los equinos
mientras otros saquean su herencia…
-Corrupción estremece país con el segundo gran caso en
20 años

En la noche una chispa sideral
silencia los cromáticos colores de su aura
el celaje de un gato negro derrumba
su castillo de arena.

Del plástico en los océanos y otros quebrantos

Sabemos sobre las frustraciones
del entusiasmo:
paso que cambia.

Sobre los puentes que asocian la materia,
las construcciones,
los lazos.

Sobre las razones,
argumento enriquecido que alumbra,
debate.

Sobre el color futuro
de las individualidades colectivas
que se suman.

Sabemos de esperanza:
movimiento elástico
el pensamiento de vanguardia
la actitud conservadora.
De las incertidumbres
y los desatinos de todos los siglos.

Por las avenidas de mi mente
el recuerdo corre
y los océanos llenos de plásticos
ahogan mis ojos en tristeza.

Sin embargo,
en medio de todo pensamiento
y en la misma proporción,
llegas tú
como el regreso del abrazo.

La profundidad de la alegría

Van subiendo desde la punta del estómago
dicen adiós desde la contracción torácica,
viajan en unas caravanas
que empalman con el tránsito de la sangre
y aceleran el latir del corazón
estallando en la humedad brillante de los ojos.

Son las lágrimas de la alegría.

Un padre es un aeropuerto
las paredes de la madre
son una casa vacía
y las lágrimas resbalan hasta los mosaicos
al sentir a las pelusas.

Al final de una promesa
hay lágrimas fraguadas por el tiempo
y la música florece.
Asistimos inexplicable al milagro de un recurso,
se rompen los almanaques
hay lágrimas de alegría por cosas nuevas.

Y un día
la ruta añil adversa
nos roba como en un desliz una sonrisa,
hay lágrimas felices desde el silencio.

QUÉDATE CERCA

(poema hecho canción por Víctor del Villar)

Quédate cerca,
A un par de horas de distancia
quédate cerca, siendo feliz,
sigue llenando los instantes.

Saberte cerca,
verte regando tu esplendor,
mirándote más bella con los años,
para mí es importante.

Quédate cerca,
nunca te alejes tanto.

Quédate por ahí,
como un rayo de luz entre las nubes,
como la chispa de sol
después de la tormenta.

Nunca te vayas tanto
a mis preguntas,
a mi entusiasmo,
de vez en cuando
levántale la mano.

Quédate cerca,
nunca te alejes tanto.

Nunca te vayas para siempre.
Salúdame de vez en cuando
la nostalgia engaña
y no quedan huellas en el viento.

Mi melancolía

Vivía vencido de una falta de aventura
un acertijo
un diamante
un vacío de caminos.
El brillo que se busca,
el sosiego paso,
los juramentos que se hacen
endosando estaciones en forma de pagos.
Dejándose llevar de las mil caras de la nostalgia
los falsos recuerdos
las sensaciones no vividas,
sin percibir la escarpadura.
Involuntario
buscaba que alguien más descubriera su ternura.
El rayo que quiebra la quietud es inapelable a la armonía,
como una esquina a los encuentros
como la chispa que escapa de las leñas.
Luego la preocupación.
la tímida risa,
la búsqueda vana en los bolsillos
repetición falaz de los regresos.
Perdón no debió salir mi melancolía.

OSARIO

En la ciudad de los rascacielos
solo los lirios velaron el duelo del otoño
y sembré un árbol de magnolia.
Predadores que brotaban desde el ojo de una gorgona:
enardecidos
picoteaban en los parques.
El silencio fue la sombra de nombres.

ESTELAS PARA MOJAR EL SILENCIO

De pronto se acabó la picardía,
aparecieron los "¿dónde estás?"
el irremediable "¿por qué?"
el techo que abandona la caricia.

La explicación es una espera
el beso es un parpadeo en paredes blandas.

No hay mil palabras para nombrar una nube
cada letra es un rompecabezas
de un tiempo insomne.

Ahora un sí,
después de un largo rato
sólo un quizás para mojar el silencio
la cuota de cordura diluye la precipitación.

Qué cosa esta que socava el sobresalto.
Qué cosa esta de reclamar el tiempo.

Y ese candor
se desvanece como la bruma.
Dónde quedó la espontaneidad
aquel disfrute que no medía.

El reproche es una espada
comenzar sin pretender
un fuego a media
las estelas que callan.

Diáspora

Hoy
sigo siendo
el gentilicio de mi cédula.
Claudiqué a mis aspiraciones del partido
a la asistencia puntual
a la medida de los ojos.
¿De ciruela o mantecado?
melancolía de siestas
de camisas planchadas de otras manos
del patronato de los clubes
el fin de mes.

He perdido y he ganado un mundo.

El nombre de mi viejo
no resuena en la memoria
de los de mi pueblo
de los del parque Duarte
ni en los de la costa.
Se ha borrado del sur profundo
y en las trincheras de Ciudad Nueva.

Soy
un sueño
entre calles y avenidas cruzadas
un punto abrazado en lo disperso
nostanza de fiestas patronales.

Ahora
soy la sumatoria
una bodega
un cazador de versos
un salón de belleza
una cifra útil en la balanza de pagos.

Soy
desconcierto a las descalificaciones
híbrido entre las lenguas
extranjero en una playa fría
una sonrisa ancha cuando digo la palabra patria.

CÍRCULOS DE VERDADES

Nunca imaginé hacer horarios en el borde del West Side
ni acariciar con la mirada la piel de un Hudson
domesticado.

No fue parte de mis primeros sueños
amanecer tras las ventanas de un cañón
cruzar el Central Park a diario
ni aprender a respirar la transpiración de las huecas
calles de Chelsea,
Soho,
ni del Upper East Side.

Se evapora a gotas la memoria,
eclipsan ferozmente las echadas de menos
el Bronx me regala la mañana.

Me transfiero desde Washington Height
imagino que estoy pintando en los andamios
y la nostalgia es otro rascacielos que apuñala el costado.

Nunca lo pude imaginar:
después de tanta ausencia,
de tanto hielo brotando entre las piedras,
de crear nuevos círculos de verdades,
que un petricor fugaz
de mi valle de amapolas
a veces me sonría
al otro lado del Long Island Sound.

Ojos y pausas

Sobraron los intentos mudos
el colapso de la punta de la lengua:
funámbulo destino de la suerte.

Ilusiones de vivo fuego
oblicua expansión de una sonrisa
detrás de todos los hombros.

Sin decir más que la mirada
entusiasmo oculto de una tarde de otoño
que atrapa la respiración comprimida de los segundos.

Ganaron todos los hubiera
los disfraces del viento en las paredes del ruido
tus ojos tatuados en las pausas.

ACÉRCATE

(poema hecho canción por Emmanuel Roque)

Había sufrido tanto
con tantas ganas de amar
y susurré yo un verso a su lunar
y se acercó a mi lado.

Había demarcado la tristeza
sentí en su mirada la firme arena
Tenía que vencer la tempestad
que me dejó la indeleble ausencia.

Había que hacer un alto en el dolor
dejar que me aliviaran sus ojos buenos
el nuevo amor que penetró tan sutilmente
que yo sentí en mis células reír por dentro.

Ven auscúltame los sentidos
Acércate hacia mi mente
Siente las olas sobre los ruidos
Mira como me pongo por tenerte.

COMO MIS DEDOS PUEDAN

Ya casi se realizan mis manos
escribo para ejercitar mis dedos
ya no arrugo los papeles a media
ni las hojas de mi piel.

Dejo que mis dedos avancen
Inertes a la canción de una ventana,
mudos a las palpitaciones de la ausencia.

Ya no escribo para nadie
sin colores para resaltar una emoción
ni metáforas en la punta de la lengua.
En la intemperie gris de un mundo de rayones escriben
mis dedos,
evocando un sabor a cartón humedecido.

Sin estilo ni belleza
azul pero indigente de cielo
estrallando las falanges cuando aparece.

Nada rescatable,
una lluvia y caen temblorosos,
garabatean sobre lágrimas.
Sus haches son rayos, columnas
y escriben como ellos puedan.

SECTARIOS

El culto a ciegas
apostrofando cruces sobre los nombres
un lápiz desde los labios imprime las rayas.
El arca segregada por el equilibrio
dibuja la nueva orilla
la margen sur es terreno de futuro.

-Sectarios-

De anteojeras
cuentan la siembra en los escritorios
carboniza colectivamente el ecléctico suspiro
una carpa encendida.

DESPERTAR

Se presiona la sien desprevenida
la nueva lágrima corre hacia la constante grieta.
De nuevo estalla la mudez
el jardín bajo las quebradas losas.

La locura digna
se sienta a media asta entre las paredes
camina sobre escombros de los puentes.

Ni la sombra
ni la voz a mitad de la distancia
el silencio tiembla en los espejos,
despertando del sueño.

DESQUIERO

Hoy no quiero lo que quise ayer
ni esa risa de alboroto
ni la cascabel abrazando la rosa.

Atravieso túneles de olvido
me abandonan sus gestos golondrina
se evaporan las palabras adheridas en mi piel.

Insensible al océano de su boca
esquivo sin piedad el iris en sus pupilas,
extiendo mares de ozono.

Desquiero a paso firme
la lenta aurora
que impregnaba las caricias
la sombra mortecina de su luz.

Así desquiero
libo colonias de anticuerpos
a paso firme
espanto mariposas.

Galería fotográfica

La esperanza
es lúgubre
el aire espeso
la avidez
somera
un lagarto
musita a Piaf.

...pensé que había
quedado
un área verde
al otro lado
de la cordura.

Ella habla
por encima de
la noche entre
tintos, dramas
y
amores.

Nunca
te
vayas
tanto
a
mis
preguntas...

ACERCA DEL AUTOR

Rafael Toni Badia nació en la ciudad de San Francisco de Macoris, República Dominicana. Ingresó a la facultad de ciencias sociales del Instituto Tecnológico de Santo Domingo, obtieniendo una licenciatura en Economía y una Maestría en Alta Gerencia. Reside en los Estados Unidos y forma parte de diferentes asociaciones de escritores.
Sus poemas han sido publicados en varias antologias y revistas de poesía. En el año 2020 publicó *Nostanza, poemas cotidianos*, su primer poemario. Ha colaborado como poeta de la diáspora dominicana en el Comisionado Dominicano de Cultura de los Estados Unidos. Es miembro de la Latin American Culture Heritage LACUHE.

ÍNDICE

Silencio diario

Colección
PREMIO INTERNACIONAL DE POESÍA
NUEVA YORK POETRY PRESS

1
Idolatría del huésped / Idolatry of the Guest
César Cabello

2
Postales en braille / Postcards in Braille
Sergio Pérez Torres

3
Isla del Gallo
Juan Ignacio Chávez

4
Sol por un rato
Yanina Audisio

5
Venado tuerto
Ernesto González Barnert

Colección
CUARTEL
Premios de poesía
(Homenaje a Clemencia Tariffa)

1
El hueso de los días
Camilo Restrepo Monsalve
-
V Premio Nacional de Poesía
Tomás Vargas Osorio

2
Habría que decir algo sobre las palabras
Juan Camilo Lee Penagos
-
V Premio Nacional de Poesía
Tomás Vargas Osorio

3
Viaje solar de un tren hacia la noche de Matachín
(La eternidad a lomo de tren) /
Solar Journey of a Train Toward the Matachin Night
(Eternity Riding on a Train)
Javier Alvarado
-
XV Premio Internacional de Poesía
Nicolás Guillén

4
Los países subterráneos
Damián Salguero Bastidas
-
VI Premio Nacional de Poesía
Tomás Vargas Osorio

Colección
VIVO FUEGO
Poesía esencial
(Homenaje a Concha Urquiza)

1
Ecuatorial / Equatorial
Vicente Huidobro

2
Los testimonios del ahorcado (Cuerpos siete)
Max Rojas

Colección

PARED CONTIGUA

Poesía española

(Homenaje a María Victoria Atencia)

1

La orilla libre / The Free Shore

Pedro Larrea

2

No eres nadie hasta que te disparan /

You are nobody until you get shot

Rafael Soler

3

Cantos : & : Ucronías / Songs : & : Uchronies

Miguel Ángel Muñoz Sanjuán

4

13 lunas 13 / 13 Moons 13

You are nobody until you get shot

Tina Escaja

5

Las razones del hombre delgado

Rafael Soler

6

Carnalidad del frío / Carnality of cold

María Ángeles Pérez López

Colección

PIEDRA DE LA LOCURA

Antologías personales

(Homenaje a Alejandra Pizarnik)

1
Colección Particular
Juan Carlos Olivas

2
Kafka en la aldea de la hipnosis
Javier Alvarado

3
Memoria incendiada
Homero Carvalho Oliva

4
Ritual de la memoria
Waldo Leyva

5
Poemas del reencuentro
Julieta Dobles

6
El fuego azul de los inviernos
Xavier Oquendo Troncoso

7
Hipótesis del sueño
Miguel Falquez-Certain

8
Una brisa, una vez
Ricardo Yáñez

9

Sumario de los ciegos

Francisco Trejo

10

A cada bosque sus hojas al viento

Hugo Mujica

11

Espuma rota

María Palitchi (Farazdel)

12

Poemas selectos / Selected Poems

Óscar Hahn

13

Los caballos del miedo / The Horses of Fear

Enrique Solinas

Colección

MUSEO SALVAJE

Poesía latinoamericana

(Homenaje a Olga Orozco)

1

La imperfección del deseo

Adrián Cadavid

2

La sal de la locura / Le Sel de la folie

Fredy Yezzed

3

El idioma de los parques / The Language of the Parks

Marisa Russo

4

Los días de Ellwood

Manuel Adrián López

5

Los dictados del mar

William Velásquez Vásquez

6

Paisaje nihilista

Susan Campos-Fonseca

7

La doncella sin manos

Magdalena Camargo Lemieszek

8

Disidencia

Katherine Medina Rondón

35
63 poema de amor a mi Simonetta Vespucci /
63 Love Poems to My Simonetta Vespucci
Francisco de Asís Fernández

36
Es polvo, es sombra, es nada
Mía Gallegos

37
Luminoscencia
Sebastián Miranda Brenes

Colección

SOBREVIVO

Poesía social

(Homenaje a Claribel Alegría)

1

#@nicaragüita

María Palitachi

2

Cartas desde América

Ángel García Núñez

3

La edad oscura / As Seen by Night

Violeta Orozco

Colección
TRÁNSITO DE FUEGO
Poesía centroamericana y mexicana
(Homenaje a Eunice Odio)

1
41 meses en pausa
Rebeca Bolaños Cubillo

2
La infancia es una película de culto
Dennis Ávila

3
Luces
Marianela Tortós Albán

4
La voz que duerme entre las piedras
Luis Esteban Rodríguez Romero

5
Solo
César Angulo Navarro

6
Échele miel
Cristopher Montero Corrales

7
La quinta esquina del cuadrilátero
Paola Valverde
8
Profecía de los trenes y los almendros muertos
Marco Aguilar

Colección

VISPERA DEL SUEÑO

Poesía de migrantes en EE.UU.

(Homenaje a Aida Cartagena Portalatín)

1

Después de la lluvia / After the rain

Yrene Santos

2

Lejano cuerpo

Franky De Varona

3

Silencio diario

Rafael Toni Badía

Colección

MUNDO DEL REVÉS

Poesía infantil

(Homenaje a María Elena Walsh)

1

Amor completo como un esqueleto

Minor Arias Uva

2

La joven ombú

Marisa Russo

Colección
MEMORIA DE LA FIEBRE
Poesía feminista
(Homenaje a Carilda Oliver Labra)

1
Bitácora de mujeres extrañas
Esther M. García

2
Una jacaranda en medio del patio
Zel Cabrera

3
Erótica maldita
María Bonilla

4
Afrodita anochecida
Arabella Salaverry

Colección

LABIOS EN LLAMAS

Poesía emergente

(Homenaje a Lydia Dávila)

1

Fiesta equivocada

Lucía Carvalho

2

Entropías

Byron Ramírez Agüero

3

Reposo entre agujas

Daniel Araya Tortós

Colección
CRUZANDO EL AGUA
Poesía traducida al español
(Homenaje a Sylvia Plath)

1
The Moon in the Cusp of My Hand / La luna en la cúspide de mi mano
Lola Koundakjian

2
And for example / Y por ejemplo
Ann Lauterbach

3
Sensory Overload / Sobrecarga sensorial
Sasha Reiter

Colección

PROYECTO VOCES

Antologías colectivas

María Farazdel (Palitachi)
Compiladora

Voces del café

Voces de caramelo / Cotton Candy Voices

Voces de América Latina I

Voces de América Latina II

Colección

VEINTE SURCOS

Antologías colectivas

(Homenaje a Julia de Burgos)

Antología 2020 / Anthology 2020

Ocho poetas hispanounidenses / Eight Hispanic American Poets

Luis Alberto Ambroggio

Compilador

Para los que piensan, como Joan Margarit, que "la poesía imparte conocimiento y consuelo", este libro se terminó de imprimir en septiembre de 2021 en los Estados Unidos de América.

Made in the USA
Middletown, DE
13 October 2021